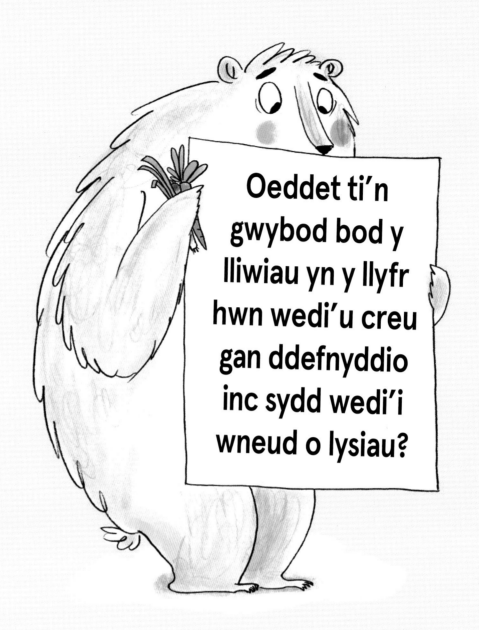

Oeddet ti'n gwybod bod y lliwiau yn y llyfr hwn wedi'u creu gan ddefnyddio inc sydd wedi'i wneud o lysiau?

Cyhoeddwyd gan / Published by Rily Publications Ltd 2020
Rily Publications Ltd, Blwch Post 257, Caerffili CF83 9FL

ISBN 978-1-84967-538-3

Hawlfraint y testun © Smriti Prasadam-Halls 2020
Hawlfraint y darluniau © Ella Okstad 2020
Mae Smriti Prasadam-Halls a Ella Okstad yn datgan eu hawliau moesol.
Addasiad Cymraeg gan Aneirin Karadog, 2020
Hawlfraint yr addasiad © Rily Publications Limited 2020
Cyhoeddwyd gyntaf yn Saesneg dan y teitl *Elephant in my Kitchen*, yn 2020,
gan Egmont UK Limited, 2 Minster Court, London EC3R 7BB

Argraffwyd yn yr Eidal

I Rafi ddyfeisgar - brenin y gegin - â chalon fawr ... ac mae ganddo gynllun BOB AMSER. S.P-H. xx

Ar gyfer fy mhlant:
HC, PA, OJ a'n cath L.
E.O.

Eliffant
yn fy Nghegin!

SMIRTI HALLS
ELLA OKSTAD

Addasiad Aneirin Karadog

RILY

rily.co.uk

Mae 'na eliffant yn fy nghegin,
mae'n wir, AR FY LLW!
Daeth o hyd i'r bisgedi siocled
ac mae hi'n eu joio nhw!

Pan ofynnais innau'n gwrtais
sut y daeth i mewn i'r tŷ,
fe gododd hi ei thrwnc mawr cryf ...

Ac i'r bin fe'm taflwyd i!

Mae gorila'n fy stafell wely,
mae'n mynd trwy'r holl deganau.
Mae 'di gwneud y llanast mwya
ac mae'n swnllyd fel taranau.

Mae 'na reino'n darllen stori
wrth fownsio tua'r nen,

6

a phanda'n chwarae badminton
â nicyrs ar ei ben!

7

Mae teigr yn y tŷ bach,
a dwi angen mynd go iawn!
Mae'n dweud y bydd yn sydyn

ond mae yna am y pnawn.

Mae Orangwtang yn brwsio
past dannedd i'w glustiau'n syn ...
All rhywun plis esbonio i mi
beth MAEN nhw'n ei wneud FAN HYN?

Mae arth wen yn y rhewgell ...
YN BWYTA EIN HUFEN IÂ!
Mae'n llyfu pob un loli,
dwi eisiau sgrechian! AAA!

Mae pengwin yn pigo popcorn,
mae blaidd yn sglaffio cacen,
mae mwnci â'i fananas ffres
yn gwneud ei smwddi'n llawen.

Mae'n hen bryd imi gysgu
ond mae'r brogaod yn CRAWCIAN nawr.
Alla i ddim godde mwy o hyn,
mae fel syrcas ar y llawr!

Felly pan ffeindon nhw Bwni Binc
a'i gwasgu'n fflat dan draed,
gwaeddais "Oi! Mae hyn 'di mynd i'r pen!
Eistedd am sgwrs sydd rhaid!"

Felly ...

O diar ...

Mae'n debyg bod ...

Braidd dim pysgod i'w bwyta,
na braidd dim iâ i'w gael.
Mae eu cartrefi'n diflannu,
wel, mae HYN yn swnio'n wael!

Mae'r coed yn cael eu torri,
mae SBWRIEL lle roedd gwely clyd.
Does prin ddim bwyd ar ôl ...
Felly YMA daeth pawb i gyd.

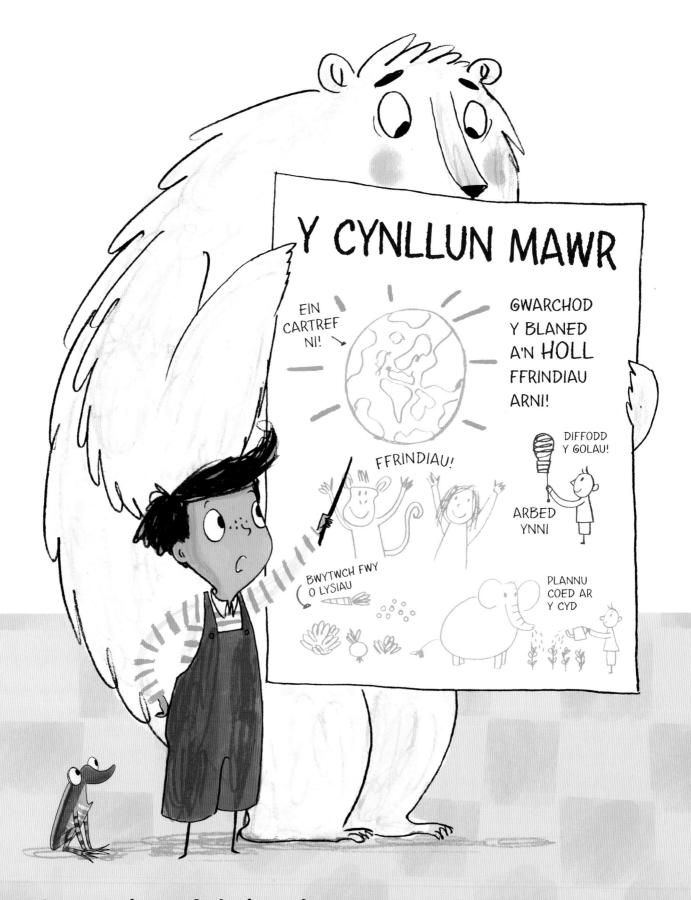

Arnon ni mae'r bai am hyn.

MAE'N RHAID INNI WNEUD RHYWBETH!

Achos …

Mewn coedwig ddylai teigrod fod,
nid ar ein soffa ni.

Ni ddylai morfil fod mewn bath,
dylai nofio yn y môr yn ffri.

Dŵr yw diod eliffantod
NID fy mhoteli pop.

Y mynydd yw lle pob llewpart gwyn ...

RHAID DOD Â HYN I STOP!

Gwnawn eu cartrefi nhw'n glyd,
gwnawn nhw'n rhai sy'n haeddu clod.

Gwnawn le iddyn nhw gael llonydd
i fyw lle maen nhw fod ...

Mae'r blaned yn eiddo i bawb,
felly'n hael, fe'i rhannwn hi.

Gweithiwn i achub ein byd,
dangoswn fod ots gennym ni.

22

Achos os na allwn
newid ein ffyrdd
a thrwsio ein byd
gyda'n gilydd ...

23

Bydd rhaid i'r anifeiliaid oll ddod i fyw gyda fi yn ...

DRAGYWYDD!

Y CYNLLUN MAWR

RYDYN NI YMA!

GWARCHOD Y BLANED A'N HOLL FFRINDIAU ARNI!

EIN CARTREF NI!

Y DDAEAR

CODWCH SBWRIEL!

CYFNEWID – PAID Â GWASTRAFFU

DIM GWELLT PLASTIG

CERDDED A SEICLO'N FWY!